DIE SCHÖNSTEN Geschichten FÜR 4-JÄHRIGE

Die schönsten Geschichten für 4-Jährige

Eine Sammlung fantasievoller Geschichten, Märchen und Reime

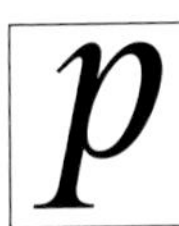

Entwurf: Peter Lawson für Zoom Design
Illustrationen: Bill Bolton (Advocate)
Sprachliche Beratung: Betty Root

Parragon Books Ltd
Queen Street House
4 Queen Street
Bath BA1 1HE, UK

Übersetzung und Redaktion: Jürgen Lassig, Arnsberg
Koordination: Antje Seidel, Köln

Printed in China
ISBN 1-40543-424-4

✦ Inhalt ✦

Der blitzschnelle Angeberfisch

Wisch!

Was war das? Der warme blaue Ozean ist voller bunter Lebewesen. Es gibt winzige gelbe Fische. Und lange, dünne lila Fische. Es gibt Würmer, die sich hin und her winden und so tun, als seien sie Blumen – und es gibt Blumen, die sich hin und her winden und wie Würmer aussehen. Alles wiegt sich und schwankt im Meer hin und her. Aber ...

Wisch! Es gibt noch jemanden, der ständig in Bewegung ist. Ein blitzschneller Fisch zischt den ganzen Tag durchs Wasser. Er ist so schnell, dass man ihn kaum sieht. Aber man hört ihn!

Flitzzz! Wisch!

„Ich bin der Schnellste auf
der Welt!
Keiner kommt an mich heran
im tiefen blauen Ozean!“,
singt er immer wieder.
Er wackelt mit den Flossen und
fordert einen Seestern auf: „Wir
schwimmen um die Wette,
Qualle!“, ruft er. „Auf
die Plätze, fertig, schwimm!“
„Aber ...“, sagt der Seestern. Der blitzschnelle Angeberfisch hört ihn schon nicht mehr.

Wisch! Er ist schon fünf
Felsen weit und lacht.

Flitzzz! Wisch!

„Ich bin der Schnellste auf der Welt!
Keiner kommt an mich heran
im tiefen blauen Ozean!“
Wettschwimmen mit einer See-
anemone macht leider nicht viel
Spaß, denn sie bewegt sich kaum
vom Fleck.

Unter den Steinen sieht er jemanden davonhuschen.
„Ha!“, sagt der blitzschnelle Angeberfisch. „Ein Hummer!
Wie wär’s mit einem Wettrennen, du komische Krabbe!
Auf die Plätze, fertig, schwimm!“
„Heh ...“, sagt der Hummer und klettert auf einen Stein.
Der blitzschnelle Angeberfisch hört ihn nicht mehr.

Wisch!

Er ist schon auf der anderen Seite vom Wrack und kichert.

Flitzzz! Wisch!

„Ich bin der Schnellste auf der Welt!
Keiner kommt an mich heran
im tiefen blauen Ozean!“

Der Hummer will noch etwas sagen, aber der blitzschnelle Angeberfisch ist schon zu weit weg. Er sucht bereits den Nächsten für ein Wettschwimmen.
Aus dem Wrack windet sich plötzlich ein Arm heraus. Dann erscheint ein zweiter Arm, dann sind es drei, vier, fünf, sechs, sieben ... acht Arme, die sich schlängeln. Es ist ein riesiger Tintenfisch!
„Ha!“, sagt der blitzschnelle Angeberfisch. „Du kommst mir gerade recht! Los, wir schwimmen um die Wette, du verrückter Krake! Auf die Plätze, fertig, schwimm!“
„Bin doch nicht verrückt“, sagt der Tintenfisch eingeschnappt. Aber ...

Wisch!

Der blitzschnelle Angeberfisch ist schon mitten im Korallenriff verschwunden.

„Ich bin der Schnellste auf der Welt! Keiner kommt an mich heran – im tiefen blauen Ozean!“, singt er. „Schade, ich finde niemanden, der es mit mir aufnimmt“, grummelt der Angeberfisch. „Das ist soo langweilig.“

„Probier’s doch mal mit mir!“, blubbert eine tiefe Stimme. Über ihm schwimmt ein dicker Fisch. „Komm aus den Korallen heraus“, sagt er, „und dann werden wir ja sehen, wer von uns schneller ist.“

Da schwimmt der blitzschnelle Angeberfisch zum dicken Fisch hin. „Abgemacht, Fettflosse“, sagt er. „Auf die Plätze, fertig ...!“
„Moment!“, dröhnt der dicke Fisch. „Das ist unfair. Wir müssen uns in einer Reihe aufstellen, Nase an Nase. Los!“
Aber als sich der blitzschnelle Angeberfisch mit dem großen dicken Fisch in einer Reihe aufstellt, beschwert der sich erneut: „Was willst du denn *da*?! Du kannst gern etwas Vorsprung bekommen. Stell dich vor mir auf, dann sehe ich dich besser.“
Der blitzschnelle Angeberfisch lacht. „Kein Problem, Froschgesicht!“, ruft er.

„Nein“, sagt der dicke Fisch. „Ich gebe das Kommando! Also: Auf die Plätze, fertig ... Schnapp!“
Seitdem sieht man den blitzschnellen Angeberfisch nicht mehr im warmen blauen Ozean. Nur manchmal, wenn ein großer, dicker Fisch angeschwommen kommt, kann man eine leise Stimme hören.

Flitzzz! Wisch!

„Ich bin der Schnellste auf der Welt!
Wenn ich auch nichts sehen kann
im tiefen blauen Ozean!“

Schluck!

Die Henne Penny

An einem ruhigen, friedlichen Tag auf dem Bauernhof suchte die Henne Penny die Erde nach Körnern ab. „Oh, wie langweilig es heute ist“, gackerte Penny. „Nie passiert etwas ...“
In diesem Moment fiel ihr
– PLONG! –
eine Eichel auf den Kopf.
„Du meine Güte!“, gackerte sie.
„Der Himmel stürzt ein. Das muss ich sofort dem König erzählen.“
Und schon rauschte sie davon.
Kurz darauf traf sie ihren Freund, den Gockel Jockel.

„Wo willst du denn so eilig hin?“, krähte Jockel, der Gockel.
„Der Himmel stürzt ein“, erklärte Henne Penny. „Ich muss es dem König erzählen.“
„Da komm ich mit“, sagte Gockel Jockel und stakste hinter Penny her. Sie waren noch nicht weit gekommen, da trafen sie ihre Freundin, die Ente Linda.
„Wo wollt ihr denn so eilig hin?“, quakte sie.
„Der Himmel stürzt ein“, erklärte Henne Penny. „Und wir wollen es dem König sagen.“

„Gut, dann komm ich mit“, sagte Ente Linda und watschelte hinter Henne Penny und Gockel Jockel her. Sie waren nicht weit gekommen, da trafen sie Hans, die Gans.

„Wo wollt ihr denn so eilig hin?“, kollerte die Gans Hans.

„Der Himmel stürzt ein“, erklärte Henne Penny. „Das müssen wir dem König erzählen.“

„Na gut, dann komm ich mit“, sagte Hans, die Gans, feierlich und schaukelte hinter Henne Penny, Gockel Jockel und Ente Linda her.

Was für einen komischen Anblick sie boten!

Als Nächsten trafen sie Lutz, den Fuchs. Keiner kannte ihn besonders gut.

„Wo wollt ihr denn so eilig hin?“, fragte Fuchs Lutz.
„Der Himmel stürzt ein“, erklärte Penny, die Henne. „Und das müssen wir dem König sagen.“
„Aha“, sagte Fuchs Lutz grinsend. „Aber ihr lauft in die verkehrte Richtung. Folgt mir, ich zeig euch den Weg.“
„So ein netter Fuchs!“, gluckste Henne Penny, als sie und ihre Freunde Lutz Fuchs folgten. Sie liefen hinter dem Fuchs her, bis sie zu einer Höhle kamen.
„Das ist eine Abkürzung“, sagte Fuchs Lutz. „Keine Angst, haltet euch dicht hinter mir!“
Die armen Vögel wussten es nicht: Es war gar keine Abkürzung, sondern der Bau vom netten Fuchs Lutz.
So liefen also die Gans Hans, die Ente Linda und der Gockel Jockel eilig dem Fuchs in den Bau hinterher.

Gerade wollte auch die Henne Penny hinter den anderen herlaufen, da

KI-III-KE-RIIII-KIKIIIIHH!

stieß Gockel Jockel ein schreckliches Kikeriki aus.
Henne Penny rannte, so schnell sie konnte, bis sie den sicheren Hof erreicht hatte, während sich Lutz, der Fuchs, aus dem Gockel Jockel und der Ente Linda und Hans, der Gans, ein festliches Mahl bereitete.
Die Henne Penny hat es nie geschafft, dem König zu sagen, dass der Himmel einstürzt. Aber andrerseits ist der Himmel auch nie eingestürzt, oder? Was war doch Henne Penny für ein dummes Huhn!

Rundherum um den Maulbeerbusch

Rundherum um den Maulbeerbusch,
Maulbeerbusch, Maulbeerbusch,
rundherum um den Maulbeerbusch
an einem Wintermorgen.

Schaut alle her, wir waschen die Hände,
waschen die Hände, waschen die Hände,
schaut alle her, wir waschen die Hände
an einem Wintermorgen.

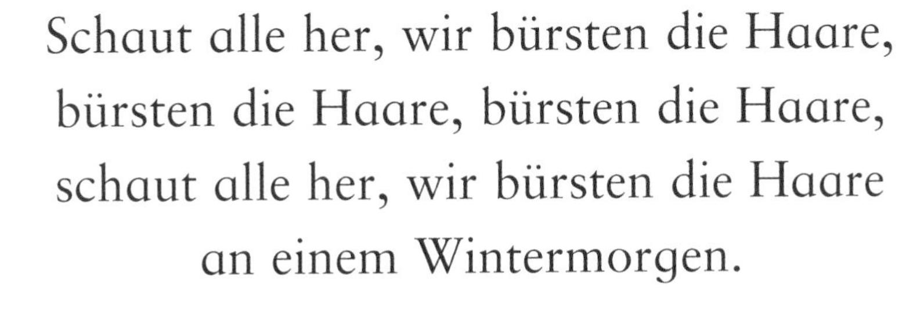

Schaut alle her, wir bürsten die Haare,
bürsten die Haare, bürsten die Haare,
schaut alle her, wir bürsten die Haare
an einem Wintermorgen.

Schaut alle her, wir gehn zur Schule,
gehn zur Schule, gehn zur Schule,
schaut alle her, wir gehn zur Schule
an einem Wintermorgen.

Die Wölfin und der Waschbär

Der Wind heulte und tobte durch den Wald. Die Wölfin zog ihren buschigen Schwanz noch enger um den Körper und versuchte, ihre empfindlichen Augen und die feine Nase vor der grimmigen Kälte zu schützen. Winzige Luftpölsterchen im Unterfell unter dem dicken Wolfspelz wärmten sie wie eine Federdecke.
Die Wölfin schlief. Und während sie schlief, schneite es aus dicken Schneewolken auf das Gewirr von Tannenzweigen über ihr.
Ein kleines Fellbündel flitzte leichtfüßig die verschneiten Äste entlang, hüpfte und sprang und streifte dabei die stachligen Nadeln. Es war ein Waschbär mit kecken Ohren. Er suchte jemanden zum Spielen.

Der Waschbär sah die Wölfin und blieb stehen. Er neigte den Kopf von einer Seite zur anderen, überlegte kurz, was er anstellen könnte. Im nächsten Augenlick schlug er auch schon einen Purzelbaum, landete auf einem mit Schnee beladenen Zweig, von dem der Schnee auf den Kopf der Wölfin geschleudert wurde.

„II-iiiiIhhh!“

Die Wölfin sprang hoch. Sie duckte sich, suchte den Angreifer, fand aber nichts und zog sich in den Schutz eines dicken Baumstamms zurück. Ihre Augen sahen dabei aufmerksam in alle Richtungen – nur nicht nach oben.

WUMMMS!

Wieder landete ein Schneehaufen auf ihrem Kopf. Diesmal sah sie nach oben. Da saß ein frecher kleiner Waschbär mit Ringelschwanz, dunkler Maske um die Augen und einer schwarzen Schnauze.

„Grrrrh!“, knurrte die Wölfin.
„Grrrrh!“, machte der Waschbär sie nach; er fühlte sich sicher oben im Baum.
Aber auch Wölfe können klettern, wenn sie wollen. Und die Wölfin wollte! Sie suchte sich den niedrigsten Ast aus und zog sich mit

ihren kräftigen Pfoten und Krallen hoch – bis sie den Waschbären erreicht hatte.
Aber der Waschbär grinste nur. Und bevor er zum nächsthöheren Zweig sprang, wischte er mit seinem geringelten Schwanz eine Ladung Schnee ins Gesicht der Wölfin!
„GRRrrrrrrrr!“, machte die Wölfin ärgerlich. Sie war wütend und kletterte den Baum immer weiter hoch.
Und bald sprangen die beiden Tiere mit solchem Tempo in den Tannen kreuz und quer rauf und runter und hin und her, dass auch die anderen Tiere im Wald gehörig darunter litten.
„Aua-aah!“, stöhnten die Schneeeulen, als sie von einem Ast getroffen wurden.
„Brrrrrr!“, machten die Rehe und stellten sich noch enger zusammen, um sich vor dem kalten Schnee zu schützen.
„Huiiiihh!“, riefen die verspielten Biber, die mitmachen

wollten. Aber Papa Biber hielt sie zurück und erklärte, dieses Spiel sei nur etwas für Erwachsene.
„GROOOAAAR!“, brüllte die Wölfin wütend.
„Eer! Eer!“, meckerte der Waschbär oben im Baum.
Aber bald rangen beide nach Luft. Der Waschbär klammerte sich mit dem Schwanz an einen Zweig, und die Wölfin saß gefährlich weit außen am Ende eines Zweiges, der viel zu dünn war für ihr Gewicht. Der Zweig bog sich langsam immer weiter, bis er plötzlich ...

„ZOINGGG!“

hochschnellte und die Wölfin im hohen Bogen durch die Luft katapultierte, genau zu der Stelle, wo sich der Waschbär im Baum ausruhen wollte.
„IIIIIIIH!“, machten beide Tiere, als sie zusammen-

stießen und kopfüber die riesige Tanne hinunterrauschten und auf den Boden fielen.
Zum Glück hatten sie sich nicht wehgetan. Denn die Wölfin und der Waschbär landeten in einer weichen Schneewehe. Sie sahen sich an, der Wind heulte und tobte um sie herum. Die eisige Kälte im Winterwald kroch ganz langsam in ihr warmes Unterfell und erreichte bald sogar die Haut der Tiere.
Ihre Augen brannten. Ihre Nasen liefen blau an. Und die Wölfin und der Waschbär fingen an zu kichern.
„Wir sollten unsere Kräfte sparen“, schlug die Wölfin vor.
„Oh ja, das sollten wir“, sagte der Waschbär.
Sofort schlangen die beiden Tiere ihre beiden Schwänze ineinander, steckten die empfindlichen Augen und die spitzen Schnauzen in den gemeinsamen Fellmantel, den sie sich teilten, und schliefen die ganze Winternacht hindurch.
Am nächsten Morgen begann endlich der Frühling.

Drei freche kleine Kaninchen

Drei kleine Kaninchen wohnten mit ihrer Mama in einem gemütlichen Bau am Hügel. Wenn sie Hunger hatten, nahm ihre Mama sie mit nach draußen auf die Wiese, damit sie frisches Gras knabbern konnten. Sie zeigte ihnen Spiele wie Hüpf-Kaninchen-Hüpf und Kaninchen-Wettlauf. Abends brachte sie die drei zu Bett. Sie hatten ihre Schlafmulden tief unten im warmen Bau.

Jedes der drei kleinen Kaninchen hatte eine gemütliche, seitlich in den Bau gegrabene Schlafecke für sich; es war sehr mollig. Die Kaninchen kuschelten sich gern in ihre Mulden, da hörten sie ihre Mama arbeiten, den Bau wischen und aufräumen – und leise ein Kaninchen-

Schlaflied summen. Aber eines Tages sagte ihre Mama: „Meine Güte! Ihr werdet ja jeden Tag größer! Bald passt ihr nicht mehr in eure Schlafmulden. Wir müssen sie größer graben. Bitte helft mir, ihr drei!"

„Nein, nein, nein!", riefen die kleinen Kaninchen. „Komm mit uns nach draußen und spiel mit uns!"

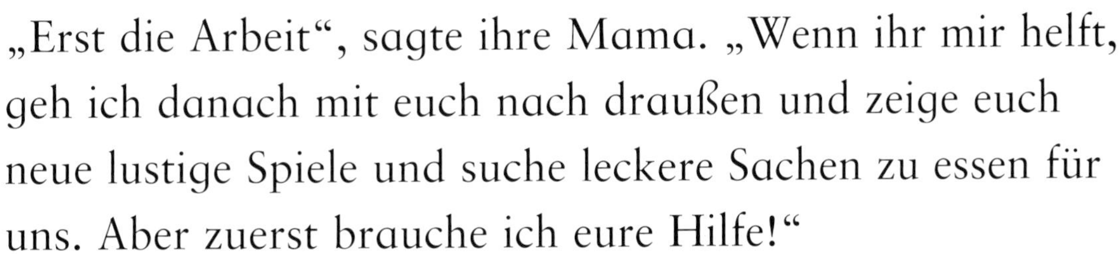

„Erst die Arbeit", sagte ihre Mama. „Wenn ihr mir helft, geh ich danach mit euch nach draußen und zeige euch neue lustige Spiele und suche leckere Sachen zu essen für uns. Aber zuerst brauche ich eure Hilfe!"

Aber die frechen kleinen Kaninchen hörten nicht auf sie. „Nein, nein, nein! Pah!", riefen sie immer wieder und liefen aus dem Bau nach draußen.

Sie waren noch nie ohne ihre Mama draußen gewesen. Nun waren sie also auf der weiten, blühenden Wiese und wussten nicht, was sie ohne ihre Mama spielen sollten.

„Ich weiß nicht, was ich machen soll“, sagte ein kleines Kaninchen. „Wenn doch jemand mit uns spielen würde ...“
In diesem Moment kam ein Eichhörnchen vom Wald auf die Wiese gehoppelt.
„Spielt doch mit mir!“, rief das Eichhörnchen. „Ich kenne viele Spiele. Kommt einfach mit mir mit und macht genau das nach, was ich tue.“
Und das machten sie.
Das Eichhörnchen nahm Anlauf und sprang über einen Stein. Die kleinen Kaninchen machten es ihm nach.
Das Eichhörnchen nahm Anlauf und hüpfte vom Baumstamm herunter.
Die kleinen Kaninchen machten es nach. Das Eichhörnchen nahm Anlauf und sauste einen Baum hoch.

„Oh, nein!“, riefen die kleinen Kaninchen.
„Ha, ha! Reingelegt!“, rief das Eichhörnchen. Es lachte die kleinen Kaninchen aus. Dann warf es mit harten Eicheln nach den Kaninchen.
„Au, au, au!“, riefen die kleinen Kaninchen. Sie rannten, so schnell sie konnten, weg.
Als sie endlich stehen blieben, waren sie am Fuß des Hügels bei einem Fluss angekommen.
„Uh, ich bin so hungrig“, sagte das zweite kleine Kaninchen. „Wenn wir doch etwas zu essen hätten ...“
Da tauchte ein Frosch aus dem Wasser auf. „Esst doch mit mir“, schlug der Frosch vor. „Ich hab genug für uns alle. Macht einfach nach, was ich mache.“
Die kleinen Kaninchen versammelten sich um den Frosch.

„Seid ganz still!“, sagte er. Das waren sie.
„Schließt die Augen“, sagte der Frosch.
Das taten sie.
„Streckt eure Zungen raus“, sagte der Frosch.
„Hamm“, machte der Frosch und verschluckte eine dicke fette Fliege.

„I-gitt! I-gitt! I-gitt!“ Die kleinen Kaninchen husteten und spuckten, bis sie nicht mehr konnten.
„Ich bin so müde“, sagte das dritte kleine Kaninchen.
„Wenn wir doch ein kleines Nickerchen machen könnten!“
Wolken setzten sich vor die Sonne. Es wurde dunkel und kalt. Und es begann zu regnen.
Tropf! Tropf! Tropf!, tropften die Regentropfen.
„Hilfe!“, riefen die kleinen Kaninchen.
Da hörten sie eine leise Stimme unten im Gras. Es war eine Schnecke.
„Warum macht ihr es nicht wie ich?“, fragte die Schnecke.
„Ihr solltet sofort nach drinnen gehen.“
„Können wir mit zu dir kommen?“, fragten die kleinen Kaninchen.

„Nein. Bei mir ist nur für mich Platz“, sagte die Schnecke, zog sich in ihr Haus zurück und war verschwunden.
Da rannten die kleinen Kaninchen nach Hause. Sie rannten und rannten durch die Dunkelheit und den Regen, bis sie endlich sicher in ihrem Bau angekommen waren.
Und da wartete schon ihre liebe Mama auf sie.
„Entschuldigung, Mama! Entschuldigung! Entschuldigung!“, riefen die drei kleinen Kaninchen. „Können wir dir helfen?“
Aber ihre Mama antwortete: „Meine Lieben, ihr werdet größer, und dann gibt es noch viel Arbeit für euch. Aber jetzt müsst ihr erst einmal eure Ohren waschen und euer Abendbrot essen.“
Die hungrigen, müden kleinen Kaninchen wuschen sich die Ohren und aßen ihr Abendbrot. Dann kroch jedes in seine Schlafmulde. Aber was war das? Jemand hatte sie ein kleines bisschen größer gegraben.
Und was glaubst du, wer das war?

Die kleine Bimbam

Die kleine Bimbam sucht ihre Mama,
die ging mit den anderen Schafen.
Siehst du, nun ist deine Mama wieder da!
Jetzt kannst du ruhig schlafen.

Drei Mäuse

Drei Mäuse spielten Blindekuh.
Seht, wie sie laufen, seht ihnen zu!
Sie fielen allesamt in den Matsch,
da machte es drei Mal ganz laut platsch!
Eine Maus ist eben kein Känguru!

Mary hat ein kleines Lamm

Mary hat ein kleines Lamm,
mit weichem, weißem Fell,
und wenn Mary mal ausgehn will,
folgt ihr das Lämmchen schnell.
Es ging sogar zur Schule mit,
das war nicht ganz erlaubt,
dort hielt es mit den Kindern Schritt.
Die haben's kaum geglaubt!

Daumesdick

Es waren einmal ein armer Bauer und seine Frau, die saßen abends beim Herd. Da sprach der Mann: „Wie ist es traurig, dass wir keine Kinder haben!“
„Ja“, seufzte die Frau, „wenn wir nur ein einziges Kind hätten, und wenn es nur so groß wäre wie mein Daumen, so wäre ich glücklich; wir hätten es von Herzen lieb.“
So geschah es, dass der Wunsch der Frau erfüllt wurde und sie ein Kind gebar. Der kleine Junge war kräftig und gesund, aber nicht länger als ein Daumen. Die beiden waren hocherfreut und nannten ihn *Daumesdick*.
Die Jahre vergingen, aber das Kind wurde nicht größer, doch zeigte sich bald, dass es klug und tüchtig war und ihm alles glückte, was es anfing.

Der Bauer machte sich eines Tages fertig, im Wald Holz zu fällen. „Wenn ich doch nur jemanden hätte, der mir den Wagen nachbringt“, sprach er vor sich hin. „Oh Vater“, rief Daumesdick, „ich will den Wagen bringen!“ Da lachte sein Vater. „Wie sollte das zugehen, du bist viel zu klein, um das Pferd am Zügel zu führen!“ „Verlasst euch drauf“, sagte Daumesdick. „Wenn nur die Mutter anspannt, ich mache den Rest.“

Als die Stunde kam, spannte die Mutter an, und Daumesdick bat sie, ihn ins Ohr des Pferdes zu setzen. Da rief der Kleine, wie das Pferd gehen sollte. Alles ging gut, und als der Wagen eben im Wald um eine Ecke bog und der Kleine gerade „Brrr! Brrr!“ rief, kamen zwei fremde Männer daher. „Sowas!“, sprach der eine. „Da fährt ein Wagen, und ein Fuhrmann ruft dem Pferd zu und ist doch nicht zu sehen. Wir wollen dem

Karren folgen und sehen, wo er hält.“ Sie folgten dem Wagen, bis sie zum Bauern kamen. Als Daumesdick seinen Vater sah, rief er ihm zu: „Siehst du, Vater, da bin ich mit dem Wagen.“ Die beiden Männer sahen mit Erstaunen, wie der Vater sein Söhnlein aus dem Ohr des Pferdes holte. „Der kleine Kerl könnte unser Glück machen“, flüsterte der eine Mann, „wenn wir ihn in der Stadt für Geld sehen lassen; wir wollen ihn kaufen.“

Sie gingen zum Bauern und fragten: „Für wie viel verkauft Ihr uns den kleinen Mann?“

„Ich verkaufe ihn nicht für alles Gold in der Welt“, sagte der Vater. Aber als Daumesdick von dem Handel hörte, stellte er sich dem Vater auf die Schulter und sagte ihm ins Ohr: „Vater, nimm nur ihr Geld! Ich will schon wieder zu dir kommen.“ Da gab ihn der Vater für ein schönes Stück Geld den beiden Männern. Und als Daumesdick Abschied vom Vater genommen hatte, machten sie sich mit ihm auf den Weg.

So gingen sie, bis es dämmerig

wurde, da sprach der Kleine: „Hebt mich herunter!" Der Mann setzte den Kleinen auf einen Acker am Weg, da sprang er weg, kroch zwischen den Schollen hin und schlüpfte auf einmal in ein Mauseloch. 
„Adieu, ihr Herren! Ihr hättet besser aufpassen müssen!", rief er den Männern nach. Sie stachen mit Stöcken in das Mauseloch, aber das war vergebliche Mühe, und bald mussten sie aufgeben. Daumesdick kroch heraus und ging den Weg entlang, bis er eine Scheune fand, wo er sich schlafen legte.
Am nächsten Morgen stand die Magd schon früh auf und ging in die Scheune, um das Vieh zu füttern. Sie packte einen Arm voll Heu – und gerade das, worin der arme Daumesdick lag und schlief. Er schlief aber so fest, dass er nichts merkte, auch nicht eher aufwachte, als bis er im Magen der Kuh gelandet war. Hier war es dunkel, und das Schlimmste war, es kam immer mehr neues Heu herein, und der Platz für Daumesdick im Magen wurde immer enger.

Da rief er endlich: „Kein frisches Futter mehr!“
Die Magd melkte gerade die Kuh und erschrak so, dass sie zum Bauern lief und rief: „Herr, die Kuh hat geredet!“
„Du bist verrückt“, antwortete der Bauer, ging aber doch selbst in den Stall, um nachzusehen.
„Kein frisches Futter mehr!“, rief Daumesdick gerade.
Da erschrak der Bauer und ließ den Tierarzt kommen.
Der Tierarzt öffnete den Magen der Kuh, und heraus kam ein Klumpen Heu, in dem Daumesdick steckte.

Das Heu wurde auf den Mist geworfen. Gerade wollte Daumesdick aus dem Heuklumpen fliehen, als ein hungriger Wolf heransprang und das Heu mit Daumesdick mit einem Schluck verschlang.
Daumesdick gab nicht auf, sondern rief dem Wolf zu:

„Ich weiß, wo du einen bessren Fraß findest, lieber Wolf."
„Wo?", fragte der Wolf.
Schnell beschrieb ihm Daumesdick den Weg zum Haus seiner Eltern. Der Wolf ließ sich das nicht zweimal sagen:

In der Nacht zwängte er sich durchs Küchenfenster und fraß in der Vorratskammer nach Herzenslust. Als er satt war, wollte er wieder fort, aber er war so dick geworden, dass er denselben Weg nicht wieder hinauskonnte. Darauf hatte Daumesdick gewartet und fing nun an, im Leib des Wolfs Lärm zu machen, tobte und schrie, so laut er konnte. Davon erwachten endlich sein Vater und seine Mutter. Sie liefen in die Küche. Als sie den Wolf sahen, ergriff der Mann die Axt und wollte auf den Wolf einschlagen.

„Ich stecke im Leib des Wolfs, Vater!“, rief Daumesdick. Voller Freude darüber, dass er die Stimme seines

Sohnes gehört hatte, streckte der Bauer den Wolf mit einem Schlag auf den Kopf nieder, schnitt ihm den Leib auf und zog den Kleinen wieder hervor.

Von dem Tag an blieb Daumesdick im Hause seiner Eltern. Er wusste jetzt, dass nichts auf der Welt das Zuhause ersetzen kann!

Ein Name für das Dinobaby

Vor sehr, sehr langer Zeit lag in einem Nest ein großes Ei. Das Ei wackelte, dann wackelte es ein bisschen mehr. Es rollte, dann rollte es ein bisschen mehr und kullerte über den Nestrand hinaus – huiiiii!

K n a c k!

Und heraus schlüpfte ein runzliges, großäugiges, nicht besonders hübsches Dinosaurierbaby. Es blinzelte in die Welt um sich herum. Alles sah so gefährlich aus. Zwischen den Blättern guckten ...

ein,

zwei,

drei,

vier ...

runzlige, großäugige, nicht besonders hübsche Dinosaurierkinder hervor. Sie starrten das neue Baby an, als es sich mühsam aus seiner Eierschale befreite.
„Hu!“, sagte das erste Dinosaurierjunge.
„Hu!“, sagte das zweite.
„Hu!“, sagte das dritte.
„Hu!“, sagte das vierte und nickte. „Bist du HÄSSLICH!“
Das Dinosaurierbaby stellte sich auf seine dünnen Beinchen und suchte im Schatten einer Blume Schutz.
Die Dinosaurierjungen wandten sich ab und riefen fröhlich:

„Tschüss, bis später!"
„Ciao, Monster!"
„Such uns doch!"
„Mach's gut, Kleiner!"
Dann brach eine runzlige, großäugige, nicht besonders hübsche Dinosaurier-Mama durchs Unterholz.
„La-di-da!", sang sie. „Mein Ei sollte inzwischen ausgebrütet sein – la-di-da!" Aber als sie ins Nest sah ...
„Oh!", sagte Mama. „Wo ist mein Baby?"

Und **Trott! Trott! Trott!** trampelte sie durch den dampfenden Wald, um ihr Baby zu suchen. Sie suchte am rauchenden Vulkan, am reißenden Fluss und im gluckernden Sumpf. Aber nirgends fand sie ihr Baby.

Die Dinosaurier-Mama runzelte die Stirn und versuchte, ihr erbsengroßes Gehirn zum Denken zu bewegen. Und siehe da, es dachte: Es dachte an das Ei. Es dachte an die Eierschale ...

„EIERSCHALE!“, rief sie und rannte stampfend durch den gluckernden Sumpf, über den reißenden Fluss, am rauchenden Vulkan vorbei durch den dampfenden Wald zu der Stelle zurück, wo sie ihr Nest gebaut hatte. Diesmal sah sie nicht *im* Nest nach, sondern *davor*!

„Eierschale“, flüsterte sie, als sie ein winziges Stück glänzender grüner Schale entdeckte.
„Eierschale!“, rief sie, als sie kurz darauf noch mehr Eierschalenstücke fand.
„Hä?“, machte die Dinosaurier-Mama, als die Spur der Schalen plötzlich aufhörte.
Sie runzelte die Stirn und versuchte erneut, mit ihrem erbsengroßen Gehirn nachzudenken. Sie dachte ... sie dachte an ein Baby.
„Wo ist mein Baby?“, kreischte sie, so laut sie konnte.
„Wir sind hier!“, antworteten ihre vier runzligen, großäugigen, nicht besonders hübschen Dinosaurier-Jungen.

„Ihr seid doch keine Babys!“, sagte sie. „Ich meine das Baby, das aus dieser Eierschale geschlüpft ist. Es muss hier irgendwo sein.“
Die Jungen zeigten stumm in eine Richtung.

Vorsichtig hob Mama Dinosaurier die Blüte der großen Blume hoch, und da lag – zur Kugel zusammengerollt – ihr Baby!

„Guckuck!“, sagte das erste Dinosaurierkind.

„Huhu!“, sagte das zweite, bevor Mama es unterbrach.

„Mein Baby!“, rief sie und nahm den kleinen Dinosaurier in ihre großen Klauen. Stolz sagte sie in die Runde: „Ist er nicht süß! Wie wollen wir ihn nennen?“

„Monster!“, schlug eins der Kinder vor.

„Sei nicht so hässlich!“, schimpfte Mama und streichelte ihr Baby. „So was ... armes kleines Ding!“

„Rülpser?“, schlug ein anderes Dinosaurierkind vor, als das Baby laut rülpste.

„Er mag den Namen!“, riefen die anderen.

Mama runzelte die Stirn und versuchte, ihr erbsengroßes Gehirn schon wieder zum Denken zu bewegen. Und es dachte. Es dachte über einen

passenden Namen für ihr Baby nach. Es dachte an die lange Suche nach dem Baby, auf die sich Mama gemacht hatte. Es dachte an den gluckernden Sumpf – und der Name, der ihr einfiel, war ...

„GLUCKSI!“

Sie rief den Namen in den höchsten Tönen, und das Baby gab ein lautes Gluckern von sich.

„Ja!“, riefen die Dinosaurierkinder, denn sie fanden, der Name passte sehr gut zu diesem runzligen, großäugigen, nicht besonders hübschen Dinosaurierbaby. Und das Baby gluckste in Mamas Armen glücklich vor sich hin.

Großmutter Hansen

Großmutter Hansen
ging zum Schrank
und suchte dem Hund einen Knochen.
Doch als sie hineinsah,
war keiner da,
der Schrank war leer seit Wochen.

Sie ging dann zum Bäcker
und kaufte ein Brot,
doch als sie nach Haus kam,
war der arme Hund tot.

So lief sie zum Nachbarn
und weinte gar sehr,
doch als sie nach Haus kam,
sprang der Hund hin und her.

Sie nahm eine Schüssel
mit Wasser und Seife
doch als sie zurückkam,
da rauchte er Pfeife.

Sie rannte zum Bach
und fing eine Kröte,
doch als sie nach Haus kam,
spielte der Hund Flöte.

Sie ging dann zum Schneider,
kaufte ihm einen Mantel,
und als sie nach Haus kam,
jagt der Hund 'ne Tarantel.

So ging sie zum Schuster,
kaufte ihm ein Paar Schuhe,
doch als sie nach Haus kam,
las er Zeitung in Ruhe.

Sie ging zum Frisör,
kaufte eine Perücke,
doch als sie nach Haus kam,
tanzte er mit 'ner Mücke.

Sie ging in den Laden,
kaufte ihm eine Jacke,
und als sie nach Haus kam,
küsst' er sie auf die Backe.

Sie ging auf den Markt,
kaufte ihm einen Hut,
doch als sie nach Haus kam,
war ihm albern zumut.

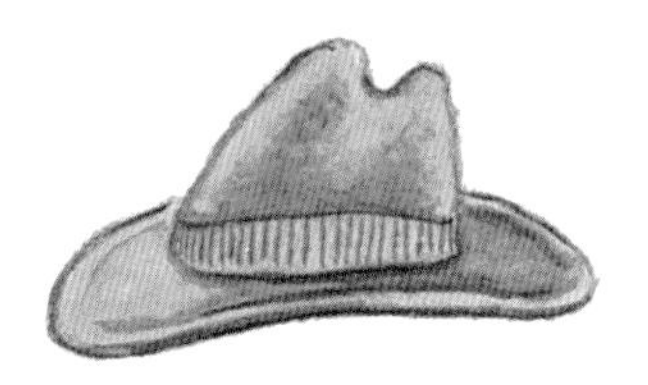

Der Hund macht 'nen Diener,
einen Knicks macht die Frau.
Sie sagt: „Gern geschehen",
der Hund sagt: „Wau-wau!"

Die drei Böcke Brausewind

Es waren einmal drei Böcke, die wollten zur Alm gehen und sich fett fressen. Alle drei hießen sie Brausewind: das kleine Böckchen Brausewind, der mittlere Bock Brausewind und der große Bock Brausewind. Auf dem Weg zur Alm aber mussten sie über einen Fluss, da war auch eine Brücke.

Als nun das kleine Böckchen Brausewind eines Tages hinüber zur Wiese wollte, dachte es: Hm, wenn ich einfach über die Brücke gehe und vom saftigen Gras fresse, dann werde ich bestimmt auch bald so groß wie meine Brüder sein!

Aber die drei Böcke Brausewind wussten, dass unter der Brücke ein großer, abscheulicher Troll hauste, der hatte

Augen groß wie Suppenteller, eine Nase so lang wie ein Besenstiel, einen Mund so breit wie ein Scheunentor und Zähne lang und scharf wie Fleischermesser.
Doch das kleine Böckchen Brausewind wollte unbedingt hinüber und schlich über die Brücke.

Tripp, tripp! Tripp, tripp! Tripp, tripp!,

machte es auf der Brücke.
„UAHHH!“, brüllte der große, abscheuliche Troll, als das kleine Böckchen Brausewind gerade halb über die Brücke gekommen war. „Wer trippelt da über meine Brücke?“
„Oh, das bin nur ich, das kleine Böckchen Brausewind, ich wollte zur Alm gehen und mich fett fressen.“

„Nichts da! Jetzt komme ich und hole dich und fresse dich!“, brüllte der große, abscheuliche Troll und sprang auf die Brücke.

„Ach, tu das nicht, ich bin ja noch so klein, an mir ist ja nichts dran als Haut und Knochen. Warte noch ein bisschen, gleich kommt noch einer, der ist viel größer als ich.“

„Na gut!“, sagte der Troll und trollte sich wieder unter die Brücke.

Es dauerte nicht lange, da sah der mittlere Bock Brausewind seinen kleinen Bruder auf der anderen Seite der Brücke und beschloss, ebenfalls hinüberzugehen.

TERAPP, TERAPP!
TERAPP, TERAPP!
TERAPP, TERAPP!,

machte es auf der Brücke, als er hinüberschlich. Er

war erst den halben Weg gegangen ...
„GRUUOAHHH!“, brüllte der große, abscheuliche Troll.
„Wer trappelt da über meine Brücke?“
„Das bin ich, der zweite Bock Brausewind“, meckerte der. „Ich will zur Alm gehen und mich fett fressen. Ich hoffe, ich hab dich nicht geweckt!“
„Oh, nein, hast du nicht! Aber jetzt komme ich und hole dich!“, brüllte der große, abscheuliche Troll und sprang auf die Brücke. „Und dann werde ich dich fressen!“
„Ach nein, tu das nicht“, sagte der Bock. „Warte noch, gleich kommt einer, der ist noch viel größer als ich.“
„Na gut!“, sagte der Troll. „Aber mach schnell, bevor ich’s mir anders überlege!“, und trollte sich wieder unter die Brücke.
Der große Bock Brausewind traute seinen Augen nicht, als er sah, wie sich seine Brüder das grüne Gras auf der

anderen Seite schmecken ließen. Also schlich auch er sich, so leise es ging, über die Brücke.
TARAMM, TARAMM! TARAMM, TARAMM!, machte es auf der Brücke, dass sie fast zusammenkrachte.

„GROAAAH!“, brüllte mit einem Mal der große, abscheuliche Troll. „Wer trampelt da über meine Brücke?“
„Das bin ich, der große Bock Brausewind, ich geh zur Alm und fresse mich fett!“
„Das tust du nicht! Jetzt komme ich und hole dich!“, sagte der große, abscheuliche Troll schon etwas kleinlauter und kletterte auf die Brücke. „Und ich werde dich fressen ...“
„Komm nur“, rief der große Bock und senkte den Kopf. Und damit fuhr er auf den Troll los, nahm ihn auf seine

Hörner und warf ihn im hohen Bogen ins Wasser. Und nun gingen alle drei Böcke Brausewind gemeinsam zur Alm hoch. Und da oben haben sie sich fett gefressen, so fett, dass sie kugelrunde Bäuche bekamen.
Und als sie am Ende des Sommers wieder hinunter ins Dorf gingen, da mussten sie auch wieder über die Brücke. Das machte „Tripp, tripp! Terapp, terapp! Taramm, taramm!“ Doch von dem großen, abscheulichen Troll haben sie nie wieder etwas gehört.

Der Froschkönig

Es war einmal eine junge Prinzessin, die hatte alles Spielzeug der Welt, aber ihr liebstes war eine goldene Kugel. Die trug sie immer mit sich, wohin sie auch ging.

Eines Tages ging die Prinzessin im Wald spazieren, und als sie müde wurde, setzte sie sich an den Rand eines kühlen Teichs, um auszuruhen. Und während sie so da saß, nahm sie ihre goldene Kugel, warf sie in die Luft und fing sie wieder. Immer höher warf sie die Kugel, bis sie sie einmal nicht mehr fangen konnte. PLATSCH!, da fiel die Kugel in den Teich. Die Königstochter wollte nach ihr greifen, aber die Kugel verschwand so schnell in der Tiefe des Teiches, dass sie sie nicht mehr zu fassen bekam.

„Oh nein!“, klagte die Prinzessin. „Meine goldene Kugel! Ich würde alles dafür geben, wenn ich sie wiederhätte – sogar meine feinen Kleider und Juwelen.“
Und wie sie so klagte, rief ihr jemand zu:

„RIBBET! RIBBET!

Was hast du vor, Königstochter, du schreist ja, dass sich ein Stein erbarmen möchte.“ Sie sah sich um, woher die Stimme käme, da erblickte sie einen Frosch, der seinen dicken hässlichen Kopf aus dem Wasser streckte.
„Ach, du bist’s, alter Wasserpatscher“, sagte sie, „ich weine über meine goldene Kugel, die mir in den Teich hinabgefallen ist.“

„Weine nicht“, quakte der Frosch. „Wenn ich dein Geselle sein kann, an deinem Tischlein sitzen, von deinem goldnen Tellerlein essen, aus deinem Becherlein trinken, in deinem Bettlein schlafen darf, wenn du mir das versprichst, will ich dir die goldene Kugel wiederholen.“

„Ach ja“, sagte sie, „ich verspreche dir alles, wenn du mir nur die Kugel wiederbringst.“ Sie dachte aber: Was der einfältige Frosch schwätzt, der sitzt doch nur im Wasser und quakt!

Als der Frosch ihre Zustimmung bekam, tauchte er unter, sank hinab, und nach einer Weile kam er wieder herauf, hatte die Kugel im Maul und warf sie ins Gras.

Die Königstochter war voll Freude, als sie ihr schönes Spielzeug wieder erblickte, hob es auf und sprang damit fort. Sie dachte nicht einmal daran, dem Frosch zu danken.

„Warte, warte“, rief der Frosch.

„Nimm mich mit, ich kann nicht so laufen wie du." Sie hörte nicht darauf, eilte nach Haus und hatte bald den armen Frosch vergessen. Am andern Tage, als sie mit dem König und allen Hofleuten an der Tafel saß und von ihrem goldnen Tellerlein aß, da kam

PLITSCH, PLATSCH, PLITSCH!

etwas die Marmortreppe heraufgehüpft, und als es oben angelangt war, klopfte es, und jemand rief: „Königstochter, jüngste, mach mir auf, weißt du nicht, was du gestern beim Teich zu mir gesagt hast?"
Die Prinzessin öffnete die Tür ... draußen saß der Frosch. Da sie sich fürchtete, schlug sie ihm die Tür ins Gesicht. Der König wollte wissen, was das zu bedeuten habe. Da erzählte ihm die Prinzessin alles von der goldenen Kugel und ihrem Versprechen. Da sagte der König: „Hast du's versprochen, musst du's auch halten. Mach ihm auf."

Die Prinzessin ging also hin und öffnete die Tür, da hüpfte der Frosch –PLITSCH, PLATSCH, PLITSCH!– herein, ihr immer auf dem Fuße nach, bis zu ihrem Stuhl. Da saß er und rief: „Heb mich herauf zu dir!"
Als der Frosch am Tisch saß, sprach er: „Nun schieb mir dein goldnes Tellerlein näher, damit wir zusammen essen." Das tat sie auch, aber man sah wohl, dass sie es nicht gern tat. Der Frosch ließ sich's gut schmecken, aber ihr blieb fast jeder Bissen im Halse stecken.
Endlich sprach er: „Nun hab ich mich satt gegessen und bin müde, trag mich hinauf in dein Kämmerlein, da wollen wir uns schlafen legen."
Es half nichts, die Prinzessin musste den Frosch mitnehmen. Es dauerte nicht lange, da war der Frosch auf dem Kissen der Prinzessin eingeschlafen.

zzZZZ zzZZ

Dort schlief er bis zum Morgen. Und als er erwachte, hüpfte er von dannen.
„Hurra!“, rief die Prinzessin. „Die aufgeblasene Kröte werde ich nie wieder sehen!“
Aber die Prinzessin sollte sich irren. Am Abend klopfte der Frosch wieder an die Schlosstür und rief:
„Königstochter, jüngste, mach mir auf, weißt du nicht, was du gestern beim kühlen Teich zu mir gesagt hast? Königstochter, jüngste, mach mir auf.“
Die Prinzessin öffnete also die Tür, da hüpfte der Frosch

PLITSCH, PLATSCH, PLITSCH!

herein. Wieder aß er von ihrem Teller und schlief in ihrem Bett bis zum Morgen.
Am dritten Abend aber packte ihn die Prinzessin – ganz bitterböse – mit zwei Fingern und trug ihn hinauf, und als sie im Bett lag, warf sie ihn, statt ihn hineinzuheben, mit allen Kräften an die Wand und sprach:

„Nun wirst du Ruhe haben, du garstiger Frosch!“
Was aber herunterfiel, war nicht ein toter Frosch, sondern ein lebendiger junger Königssohn mit schönen und freundlichen Augen.
„Du hast den Bann gebrochen“, sagte der Prinz. „Ich möchte um deine Hand anhalten.“
Das war der Prinzessin recht, und mit ihres Vaters Willen wurde der Königssohn ihr lieber Geselle und Gemahl.
Da schliefen sie vergnügt zusammen ein, und am andern Morgen, als die Sonne sie aufweckte, kam ein Wagen angefahren, vor den war ein feines Pferd gespannt. Zusammen fuhren sie zum Schloss des schönen Prinzen, wo sie fortan glücklich und zufrieden lebten.

Fritz, der Ausreißer

Fritz war ein kräftiger schwarzweißer Kater. Er lebte in einer großen Stadt. Er liebte seine Stadt mit den verwinkelten Gassen und den Hinterhöfen, mit den Supermärkten und den verlockenden Mülltonnen.
Daher war Fritz überaus traurig, als seine Familie, die Sippels, aufs Land zog. Er mochte das Land nicht. Er mochte weder die vielen Bäume noch die Felder. Und die Flüsse mochte er auch nicht.
Eines Morgens fand Fritz es wieder besonders langweilig. Frau Sippel war zur Arbeit gegangen, und Herr Sippel brachte Thomas und Sandra zur Schule. Fritz kletterte kurz entschlossen durch den Gartenzaun und huschte ins Feld. Er wollte Reißaus nehmen und Abenteuer erleben.

Fritz war noch nicht weit gekommen, als er eine Amsel sah, die mit Kirschkernen auf dem Schnabel jonglierte.
„Hallo“, sagte Fritz. „Ich bin Fritz, der Ausreißer. Ich will Abenteuer erleben.“
„Hallo“, sang die Amsel. „Kann ich mitkommen?“
„Aber klar!“, antwortete Fritz, und die beiden neuen Freunde machten sich auf den Weg. Bald kamen sie an einen Fluss. Plötzlich tauchte ein Frosch aus dem Schilf auf und kam radschlagend auf sie zu.

„Hallo“, sagte Fritz. „Ich bin Fritz, der Ausreißer. Ich will Abenteuer erleben.“
„Und ich“, sang die Amsel, „jongliere mit Kirschkernen auf dem Schnabel!“
„Guten Tag“, quakte der Frosch. „Und ich kann Rad schlagen. Kann ich mitkommen?“
„Na klar!“, sagte Fritz, und zusammen zogen die drei Freunde weiter.
Als sie auf einem Brett den Fluss überquerten, entdeckten sie eine Ente, die ein Lied pfiff.

„Hallo“, sagte Fritz. „Ich bin Fritz, der Ausreißer. Ich will Abenteuer erleben.“
„Und ich“, sang die Amsel, „jongliere mit Kirschkernen auf meinem Schnabel!“
„Guten Tag“, quakte der Frosch. „Ich kann Rad schlagen. Drei Mal hintereinander!“
„Toll!“, flötete die Ente, „Ich pfeife Lieder. Kann ich mitkommen?“
Also machten sich die vier Freunde gemeinsam auf den Weg in den Wald, wo sie auf eine tanzende Maus und eine lächelnde Schnecke stießen.
„Hallo“, sagte Fritz. „Ich bin Fritz, der Ausreißer. Ich will Abenteuer erleben.“
„Ja-ah“, sang die Amsel, „ich jongliere mit Kirschkernen!“
„Guten Tag“, quakte der Frosch. „Ich kann Rad schlagen. Drei Mal hintereinander!“
„Das stimmt“, sagte die Ente. „Und ich kann Lieder pfeifen, hört mal!“

„Klasse!“, quiekte die Maus. „Die Schnecke und ich lieben Abenteuer. Können wir mitkommen?“

„Klar!“, sagte Fritz, und zusammen gingen die Freunde weiter.

Als sie durch den dunklen Wald gegangen waren, kamen sie zu einer Weide und einem Bauernhof. Auf der Weide stand ein sehr großer Bulle.

„Hallo“, sagte Fritz. „Ich bin Fritz, der Ausreißer, und das sind meine neuen Freunde. Wir wollen Abenteuer erleben.“

„Ja-ah“, sang die Amsel, „und ich jongliere mit Kirschkernen auf meinem Schnabel!“

„Guten Tag“, quakte der Frosch. „Ich kann Rad schlagen.“

„Das stimmt“, sagte die Ente. „Und ich pfeife Lieder.“

„Klasse!“, quiekte die Maus. „Und ich tanze. Und das hier ist eine sehr begabte Schnecke!“

„Wie schön für euch! Wunderbar! Und ihr wollt alle Abenteuer erleben?“, schnaufte der Bulle. Seine Hörner blinkten in der Nachmittagssonne.

„Also gut: Dann rennt um euer Leben!"
Fritz fuhr herum, die Amsel schoss hoch in die Luft, sodass alle ihre Kirschkerne zu Boden prasselten, der Frosch schlug Räder, bestimmt zehn Mal hintereinander, die Ente pfiff an ihm vorbei und die Maus und die sehr begabte Schnecke versuchten so schnell wie möglich dem wild gewordenen Bullen zu entkommen.

Eine wilde Jagd begann!
Schnauf! Miau! Quak! Gulp!
Pfeif! Quiek! Ha ha! Pah!

Schnauf! WAS FÜR EINE WILDE JAGD!
Der Bulle holte immer mehr auf ... kam immer näher! IMMER NÄHER!, während Fritz und seine fünf Freunde über die Wiese, durch den Wald, über den Fluss und ins Feld rannten. HILFE!
Als sie im Feld waren, erkannte Fritz, er war ZU HAUSE! *Sein* Zuhause!, wo er es so langweilig fand, dass er weggelaufen war! Aber wie glücklich war er jetzt, als er es wiedersah!
Zuerst sprang Fritz über den Zaun, dann flogen, turnten, kletterten, tanzten und krochen alle seine neuen Freunde hinterher. Der Bulle hielt an, schnaufte und trottete dann

mit einem breiten Grinsen wieder zurück zu seiner Weide.
Und als die Tür aufging und Herr und Frau Sippel, Thomas und Sandra herauskamen, mussten sie erst einmal nach Luft schnappen vor Erstaunen.
Sie sahen eine jonglierende Amsel, einen radschlagenden Frosch, eine pfeifende Ente, eine tanzende Maus, eine begabte Schnecke und ... einen sehr glücklichen Kater Fritz. Der Ausreißer war zurückgekommen. Und er wollte sich nicht auf neue Abenteuer einlassen – jedenfalls nicht so bald.

Eins und zwei, die Schuh herbei

Eins und zwei,
die Schuh herbei.
Drei und vier,
ich öffne die Tür.
Fünf und sechs,
ist da eine Hex?
Sieben, acht,
Zweige abgemacht.
Neun und zehn,
zum großen Huhn gehn.

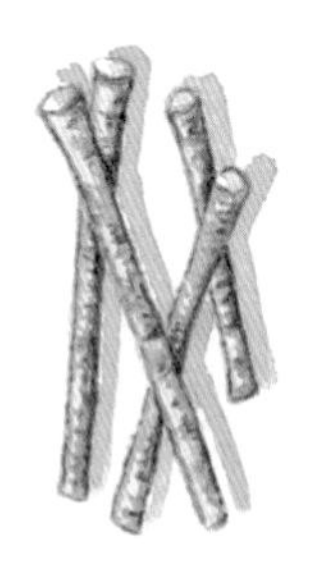

Elf und zwölf,
draußen heulen die Wölf'!
Dreizehn, vierzehn,
in der Küche ist's schön.

Fünfzehn und sechzehn,
wir tragen und ächzen.
Siebzehn, achtzehn,
die Teller nachzähln.

Neunzehn, zwanzig,
nach dem Essen tanz ich!

Die drei kleinen Schweinchen und der Wolf

Grunz!

Morgens früh
da machten sich auf
drei kleine Schweinchen
mit viel Geschnauf.
GRUNZ!

Grunz!

Die drei kleinen Schweinchen Rosa, Schnauf und Ringel spazierten hügelauf und hügelab, bis ihre Wangen ganz rosig geworden waren.

OH WEI!

Doch mitten im Wald
teilte sich der Weg in drei,
und die drei kleinen Schweinchen riefen:
„OH WEI!"

OH WEI!

Jedes Schweinchen ging einen anderen Weg: Rosa ging hier entlang, Schnauf ging da lang, und Ringel ging den dritten Weg ...

Ringel fühlte sich einsam
auf dem Weg so allein,
doch dann fand es Stroh
und baute ein Heim.
HEIM!

Als das Haus fertig war, holte Ringel noch mehr Stroh und flocht sich Tisch und Stühle daraus. Und schließlich noch ein kleines Strohbett für die Nacht. Aber ...

da kam der Wolf,
schlich ums Haus herum,
er holte tief Luft
und pustete das Haus um.

WUMM!

Armes Schweinchen Ringel! Sein Strohhaus war kaputt. Es lief und lief, hügelauf und hügelab, vor dem schrecklich bösen Wolf davon.
In der Zwischenzeit ...

fand Schnauf ein paar Zweige
auf dem Weg so allein
und baute auf seine Weise
sich ein Heim.
HEIM!

Als das Haus fertig war, holte Schnauf noch mehr Zweige und baute sich Tisch und Stühle daraus. Und schließlich noch ein kleines Zweigbett für die Nacht.

Aber ...
da kam der Wolf,
schlich ums Haus herum,
er holte tief Luft
und pustete das Haus um.

WUMM!

Armes Schweinchen Schnauf! Sein Zweighaus war kaputt. Es lief und lief, hügelauf und hügelab, vor dem schrecklich bösen Wolf davon.
In der Zwischenzeit ...

Als das Haus fertig war, holte Rosa noch mehr Steine und baute sich noch Tisch und Stühle daraus. Und schließlich noch ein kleines Steinbett, auf dem sie vermutlich – nun, ja – außerordentlich schlecht schlafen würde in der Nacht.

In der Zwischenzeit ...
liefen Ringel und Schnauf immer noch hügelauf und hügelab, bis ihre Wangen ganz rosig geworden waren. Sie liefen zu Rosa und ihrem fertigen Steinhaus.

Fort vor dem Wolf
lief jedes Schwein
und schnell in das Haus
von Rosa hinein.
HINEIN! HINEIN!
HINEIN!
Jedoch ...

da kam der Wolf,
schlich ums Haus herum,
er holte tief Luft
und pustete das Haus um?

... WUMM? NEIN!

Drinnen im Steinhaus fühlten sich Rosa, Schnauf und Ringel sehr sicher.
Draußen vorm Haus wurden die Backen vom Wolf immer roter und immer heißer, so sehr blies und pustete er.

Doch das Steinhaus blieb stehen,
und der Wolf fiel um,
den Hügel hinab
mit lautem Krabumm!
GRUNZ! GRUNZ! GRUNZ!

Als der Wolf weg war, bastelte Schnauf drei hübsche Stühle aus Zweigen. Rosa baute noch zwei Steinbetten für ihre Geschwister.

Und Ringel flocht ihnen drei herrlich weiche Strohmatratzen, die sie auf die Steinbetten legten.
Und die drei kleinen Schweinchen schliefen ruhig ein.
Gute Nacht!

Pinguin Polly will fliegen

Pinguine sind gute Schwimmer. Sie können tief tauchen. Sie können sich unter Wasser drehen und winden. Und sie schwimmen schneller als manche Fische. Aber kein Pinguin hat jemals fliegen gelernt.
„Das ist ungerecht!“, sagt Pinguin Polly immer, wenn sie beobachtet, wie die Möwen über ihrem Kopf am blauen Himmel dahinsegeln. „Ich will auch fliegen. Wie die anderen Vögel.“
„Ich will auch fliegen“, sagt Polly zu ihrer Mama, als sie zu den anderen Pinguinen am Rodelberg watscheln.
„Sei nicht albern, Schatz!“, sagt ihre Mama. „Rodeln bringt doch viel mehr Spaß!“ Und dann rutschen beide bäuchlings den Hügel hinunter und platschen ins Meer.

„Das macht Spaß!“, gibt Polly zu, als sie wieder aus dem Wasser klettern. „Aber ich will doch fliegen.“

Als Pinguin Polly auf einer Eisscholle sitzt und nachdenkt, kommt der weise alte Wal heran. „Kannst du fliegen?“, fragt sie ihn.

„Nicht richtig“, sagt der Wal. „Aber ab und zu springe ich aus dem Wasser und fliege, für einen Augenblick oder zwei, durch die Luft.“

„Das muss ich auch versuchen“, sagt Polly. Sie schnellt aus dem Wasser hoch in die Luft und landet dann wieder auf dem Eis.

Huiiiiiiii!

„Das macht Spaß!“, ruft sie.

Polly schwimmt schnell zu den anderen und springt von

Huiiiiiii!

der großen Eisklippe ins Wasser. Immer wieder.
„Das ist toll! Aber ich will *fliegen*", ruft Pinguin Polly und landet mit einem lauten – PLATSCH – neben Schnuffi, dem weißen Seehund.
„Hallo, Schnuffi", sagt Polly. „Kannst du fliegen?"
„Nicht richtig", antwortet Schnuffi. „Aber ab und zu hole ich tief Luft, spreize meine Flossen, schlage mit dem Schwanz hin und her und schieße so schnell durchs Wasser, dass es sich für einen Augenblick – oder zwei – wie fliegen anfühlt."
„Das muss ich ausprobieren", sagt Pinguin Polly und jagt so schnell durch die Wellen, dass sie einen Moment lang das Gefühl hat, sie fliegt!

Huiiiiiiiii!

„Kannst du fliegen?“, fragt Polly das Kaninchen Wuschel, als sie durch den Schnee watscheln.
„Nicht richtig“, gibt Wuschel zu. „Aber manchmal springe ich so hoch, dass ich denke, ich hebe gleich ab und fliege. Aber manchmal macht es auch einfach nur so Spaß zu hüpfen. Machst du mit?“

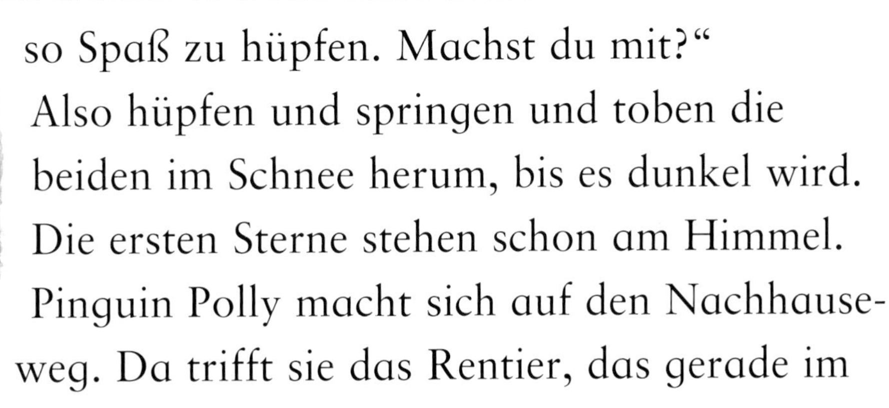

Also hüpfen und springen und toben die beiden im Schnee herum, bis es dunkel wird. Die ersten Sterne stehen schon am Himmel. Pinguin Polly macht sich auf den Nachhauseweg. Da trifft sie das Rentier, das gerade im Schnee sein Geweih putzt.
„Meine Mama hat gesagt, du bist auf der Durchreise bei uns“, sagt Polly. „Dann kannst du also fliegen, oder? Und wo sind deine Flügel?“
„Nein, kleine Polly, leider kann ich nicht fliegen“, antwortet das Rentier traurig. „Aber es gibt Geschichten über ein paar glückliche Rentiere, die fliegen können.“ Das Rentier blickt hoch zum Nachthimmel. „Und jetzt“, fährt es fort, „ist es schon spät. Du musst jetzt nach Hause gehen, Polly. Deine Mama macht sich sonst Sorgen.“

„Oh ja“, sagt Polly. „Ich muss mich beeilen.“ Und sie wackelt davon und schliddert übers Eis.
„Warte!“, ruft das Rentier. „Ich bring dich nach Hause!“
Also springt Polly auf den Rücken des Rentiers. Sie hält sich am Geweih gut fest, dann geht es im rasenden Galopp nach Hause.
„Das ist herrlich!“, ruft Polly. Sie scheinen durch die Nacht zu fliegen.

Huiiiiiiiii!

„Danke, liebes Rentier“, sagt Polly, als sie zu Hause angekommen sind. „Das war toll! Das war wie fliegen. Nimmst du mich morgen wieder mit?“
Das Rentier nickt fröhlich. „Tschüss, bis morgen, Polly!“
„Nun, hast du heute fliegen gelernt?“, fragt Mama, als Pinguin Polly hereinstürmt.
„Nicht richtig ... also, nicht wirklich. Aber ... auf eine Art

doch!“, antwortet Polly und lächelt.
„Na, das ist ja eine komische Antwort!“, sagt ihr Papa lachend. „Also: Ich bin so schnell geschwommen, dass es wie fliegen war“, erklärt Polly. „Und ich war hoch oben in der Luft, und das war wundervoll.“

„Gut“, sagt Mama. „Jetzt gibt’s Abendessen! Ich bin auch den ganzen Tag durch die Gegend gebraust, bin gerodelt, einkaufen gewesen und hierhin und dorthin gerannt. Und dein Papa ist von der Eisklippe gesprungen, um die Wette geschwommen und hat Fische gefangen. Wir hatten also alle einen aufregenden Tag. Und jetzt gibt es leckeren Fisch.“

Während Polly leckeren Fisch isst, träumt sie davon, auf dem Rücken des Rentiers zu reiten. Vielleicht trifft sie ja eines Tages, wenn sie Glück hat, diese besonderen Rentiere, die richtig fliegen können! Dann würde sie in den Sternenhimmel eintauchen. Wäre das nicht spannend?

Sandmännchen kommt

Sandmännchen kommt
und läuft durch die Stadt,
treppauf und treppab,
tripp-tripp und trapp-trapp.
Er klopft an die Fenster
und huscht durch den Flur.
Sind alle Kinder im Bett?
Es ist schon acht Uhr!

Ich sehe den Mond

Ich sehe den Mond,
und der Mond sieht mich.
Gott segne den Mond,
und Gott segne mich.

Sei flink, Hans

Sei flink, Hans,
und sei keck,
spring über die Kerze
ganz
einfach hinweg!

Gehst du spät ins Bett

Gehst du spät ins Bett,
bleibst du immer klein,
gehst du früh ins Bett,
wirst du größer sein.